Astrid Lindgren
Weihnachten im Stall

Bilder von Harald Wiberg

Verlag Friedrich Oetinger · Hamburg

Ein Kind saß auf dem Schoß seiner Mutter
und wollte etwas von Weihnachten hören.
Da erzählte die Mutter vom Weihnachten im Stall.
Das war ein Weihnachten vor langer Zeit und in einem fernen Land,
doch das Kind sah alles vor sich, als wäre
es daheim geschehen, in ihrem eigenen Stall auf ihrem eigenen Hof.
Die Mutter erzählte:

An einem Abend vor langer Zeit, da kamen ein Mann
und eine Frau in der Dunkelheit ihres Weges daher.
Sie waren weit gewandert und waren müde,
jetzt wollten sie schlafen, wußten aber nicht, wo.
Überall auf den Höfen waren die Lichter erloschen.
Die Menschen dort schliefen schon, und keiner kümmerte
sich um die Wanderer, die noch unterwegs waren.
Dunkel und kalt war es an diesem Abend vor langer Zeit.
Kein Stern leuchtete am Himmel.

Da fanden die Wanderer am Weg einen Stall.
Der Mann öffnete die Tür und leuchtete mit seiner Laterne hinein.
Vielleicht gab es dort drinnen Tiere? Denn wo Tiere schlafen,
da ist es warm, und die beiden Wanderer froren und waren müde.

Ja, im Stall waren Tiere. Sie schliefen schon,
doch als sie die Tür knarren hörten, erwachten sie
und sahen die Wanderer eintreten. Und sie sahen
die Frau dort stehen im Lichtschein der Laterne.
Aber warum die Frau zu so später Stunde in ihren Stall
gekommen war, das wußten die Tiere nicht.

Vielleicht spürten sie trotzdem, daß die Frau fror
und daß sie müde und hungrig war.
Vielleicht spürte es das Pferd,
als die Frau ihre kalten Finger unter seine
Mähne schob, um sie zu wärmen.

Vielleicht spürte es die Kuh, als die Frau sie
melkte und ihre gute, warme Milch trank.

Vielleicht spürten es auch die Schafe. Denn als
die Frau sich zum Schlafen auf das Stroh niederlegte,
scharten sie sich um sie und wärmten sie.

Dann senkte sich die Nacht still über den Stall und über alle,
die darin waren.
Als die Nacht aber am dunkelsten war, da erklang in der Stille
der erste Schrei eines neugeborenen Kindes.
Und zur selben Stunde flammten am Himmel alle Sterne auf.
Ein Stern war größer und heller als die übrigen.
Genau über dem Stall stand er und leuchtete mit klarem Schein.

Nun waren in dieser Nacht Hirten auf den Feldern.
Sie wollten ein paar Schafe heimholen, die noch draußen waren,
obwohl der Winter schon Einzug gehalten hatte.
Und die Hirten sahen den Stern über dem Stall,
sie sahen den ganzen Himmel in Licht erstrahlen.

„Warum leuchtet ein Stern über unserem Stall?"
fragten die Hirten einander. „Kommt", sagten sie,
„laßt uns gehen und sehen, was sich zugetragen hat."
Und sie eilten auf beschneiten Pfaden heim
mit ihren Schafen und Lämmern.

Und im Stall fanden sie ein neugeborenes Kind,
das lag in den Armen seiner Mutter.
„Der Stern leuchtet um des Kindes willen", sagten die Hirten.
„Nie zuvor wurde ein Kind geboren in unserem Stall."

Das Kind mußte schlafen, doch gab es
weder Wiege noch Bett. Nur eine Krippe gab es im Stall.
Da hinein bettete die Mutter ihr Kind. Und das Pferd
stand still daneben und sah zu. Vielleicht begriff es,
daß das Kind die Krippe zum Schlafen brauchte.

So ging die Nacht dahin.
Das Kind schlief in der Krippe,
ringsum standen stumm
die Tiere und die Hirten.
Alles war ganz still.

Und über dem alten Stall leuchtete der Weihnachtsstern.
Denn als dies geschah, war es Weihnachten.
Ein Weihnachten vor langer Zeit. Das allererste Weihnachten.

Bilderbücher von Astrid Lindgren

Verlag Friedrich Oetinger · Hamburg

mit Bildern von Björn Berg

Michel aus Lönneberga
Mehr von Michel aus Lönneberga

mit Bildern von Ingrid Nyman

Kennst du Pippi Langstrumpf?

mit Bildern von Marit Törnqvist

Als der Bäckhultbauer in die Stadt fuhr
Als Adam Engelbrecht so richtig
wütend wurde

mit Bildern von Harald Wiberg

Tomte Tummetott
Tomte und der Fuchs
Weihnachten im Stall

mit Bildern von Ilon Wikland

Lustiges Bullerbü
Weihnachten in Bullerbü
Der Drache mit den roten Augen
Ich will auch Geschwister haben
Ich will auch in die Schule gehen
Na klar, Lotta kann radfahren
Lotta kann fast alles
Natürlich ist Lotta ein fröhliches Kind
Guck mal, Madita, es schneit!
Nein, ich will noch nicht ins Bett!
Kindertag in Bullerbü
Nils Karlsson-Däumling
Polly hilft der Großmutter

mit Fotos

Jule und die Seeräuber
Pippi außer Rand und Band
Mein Småland

© Verlag Friedrich Oetinger, Hamburg 1961
Alle Rechte für die deutschsprachige Ausgabe vorbehalten
© Astrid Lindgren (Text), Harald Wiberg (Bild) 1961
Die schwedische Originalausgabe erschien bei
Rabén & Sjögren Bokförlag, Stockholm, unter dem Titel „Jul i Stallet"
Deutsch von Anna-Liese Kornitzky
Druck und Bindung: Proost N.V., Turnhout
Printed in Belgium 1994

ISBN 3-7891-6132-2